por Gabriel Suby
ilustrado por Ivanke y Lola

Destreza clave Sílabas con *Ll*
Palabras de uso frecuente *es*

Scott Foresman
is an imprint of

PEARSON

¡Pepe, una ola!

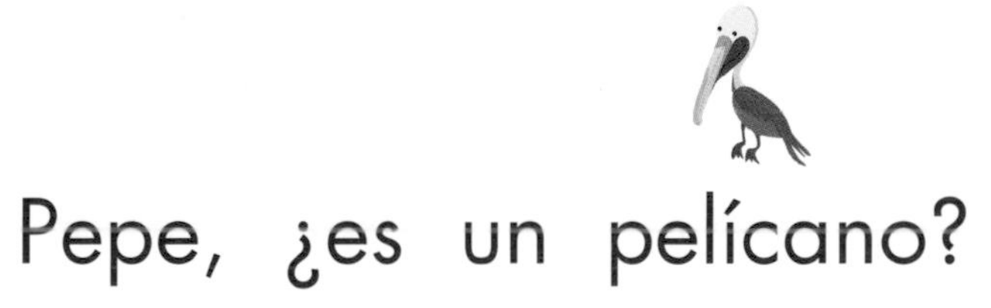

Pepe, ¿es un pelícano?

Sí, Lila. El pelícano está sobre el palo.

Pepe, ¿es una nutria?

Sí, Lila. La nutria come almejas.

¡Pepe! La ola levanta la foca.

¡Papá! La ola me empapó.